LA CUEVA

ENRIC LLUCH
DIBUJOS: JORDI VILLAVERDE

EL CAMINO DE LA MONTAÑA ACABA
EN UNA CUEVA.

PEPE DICE QUE DENTRO DE LA CUEVA
VIVÍA UN DRAGÓN.

LA PRIMA MAITE LE LLEVA LA
CONTRARIA:

—EN LA CUEVA VIVÍA UN OGRO PELUDO.

CRISTINA MIRA AL HERMANITO Y MUEVE
LA CABEZA.

—NO TE LO CREAS, DAVID. LA CUEVA ERA
DE UN BRUJO.

LOS PRIMOS Y LA HERMANA QUIEREN
METERLE MIEDO.

—VOLVAMOS A CASA —PIDE DAVID.

PEPE, MAITE Y CRISTINA SE RÍEN CON LA BROMA.

DE REPENTE, SE MUEVEN UNAS
PLANTAS.

LOS TRES HUYEN COMO LOCOS.
¡ES UNA LAGARTIJA!

Título original: *La cova*
© Enric Lluch Girbés, 2011
Traducción: del autor
© Dibujos: Jordi Villaverde Alomar, 2011
© Algar Editorial, SL
   Polígon Industrial 1
   46600 Alzira
   www.algareditorial.com
Diseño: Pere Fuster
Impresión: Índice, SL

1ª edición: octubre, 2011
ISBN: 978-84-9845-297-6
DL: B-32837-2011